Dirección editorial: Patricia López
Coordinación de la colección: Karen Coeman
Cuidado de la edición: Pilar Armida y Obsidiana Granados
Revisión de contenidos: Miguel Quintero
Formación: Maru Lucero y Alejandra Basurto
Traducción: So-yon Yoo

La pequeña bruja mide todo

Título original en inglés: *Little Witch Can Measure Anything*
(Series TONG 1226 – Math & Technology 12)

Texto D.R. © 2008, Heung-gyu Kim
Ilustración D.R. © 2008, Dong Oh

Editado por Ediciones Castillo por acuerdo con Woongjin Think Big Co., Ltd., Seúl, 110-810, Corea.

Primera edición: abril de 2010
D.R. © 2010, Ediciones Castillo S.A. de C.V.
Insurgentes Sur 1886, Col. Florida,
Del. Álvaro Obregón,
C.P. 01030, México, D.F.

Ediciones Castillo forma parte
del Grupo Macmillan

www.grupomacmillan.com
www.edicionescastillo.com
infocastillo@grupomacmillan.com
Lada sin costo: 01 800 536 1777

Miembro de la Cámara Nacional
de la Industria Editorial Mexicana.
Registro núm. 3304

ISBN: 978-607-463-106-7

Impreso en China/*Printed in China*

La pequeña bruja mide todo

Texto de Heung-gyu Kim
Ilustraciones de Dong Oh
Traducción de So-yon Yoo

CASTILLO

MUNDO MOSAICO

La pequeña bruja quiere convertirse en una bruja verdadera. El secreto para logarlo consiste en poder medir cualquier cosa, sea la que sea. Esto es necesario para poder mezclar las cantidades correctas de ingredientes en las pociones mágicas.

Como en el mundo hay muchos objetos que deben medirse y también muchas maneras de hacerlo, la pequeña bruja ha decidido aprender a medir, pues lo que más desea es ¡llegar a ser una auténtica bruja!

¡Mira, sapito! Ésta es la escuela de magia, donde enseñan a medir cualquier cosa.

Unidades de medida

No es posible contar con exactitud las gotas de agua, pero si decides que cierta cantidad de agua es una unidad de medida, puedes usarla para medir toda el agua que quieras.

Para ello, sólo tienes que dividir el agua en cantidades iguales a la unidad de medida que escogiste.

Existen muchas formas de definir una unidad.

Escogí un vaso. El agua que cabe en una cubeta es igual a 7 vasos.

Cómo medir superficies

Para saber qué tanto espacio ocupa
un objeto liso, necesitas medir su superficie.
Puedes medir una superficie utilizando
diferentes objetos como unidades de medida.

Puedes medir con papeles de colores

Esta mesa tiene la misma superficie que 24 papeles del mismo tamaño.

Puedes medir con cojines

Al parecer, estas dos alfombras son de tamaños distintos, pero en realidad ambas tienen la misma superficie. En cada una caben 12 cojines iguales.

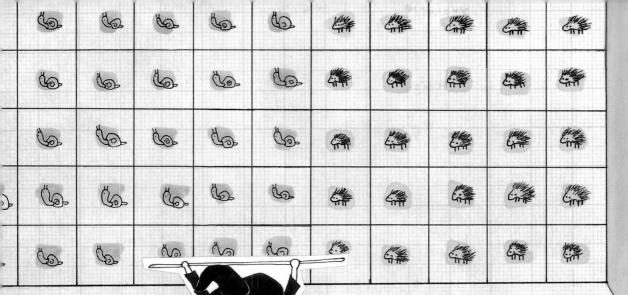

La pared con caracoles tiene 5 cuadrados más que la pared con erizos.

PUEDES MEDIR HACIENDO CORTES

Oye, ¿y si mejor escondes los pedazos de capa?

La capa de la directora es cuatro veces más grande que la mía, pues al cortarla obtuve 4 pedazos de tela iguales a mi capa. ¡Ojalá que su paciencia sea tan grande como su capa!

15

Cómo medir volúmenes

La cantidad de agua que llena un recipiente o un jarrón equivale al volumen del recipiente o del jarrón.

Para medir el volumen de un recipiente o de una caja, puedes usar distintos métodos.

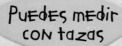

Puedes medir con tazas

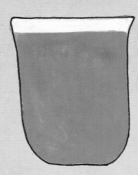

A la jarra con poción verde le caben dos tazas más que al recipiente con poción anaranjada.

Puedes medir con tazones

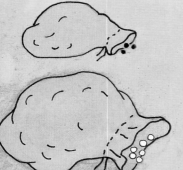

Hay 5 tazones más de frijol blanco que de frijol negro.

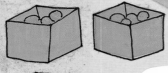

Puedes medir con cajas

Hay una caja menos de piedritas mágicas azules que de piedritas rojas.

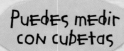
Puedes medir con cubetas

¡Te prometo que uno de estos días voy a medir el volumen de este lago!

¿No crees que estás exagerando?

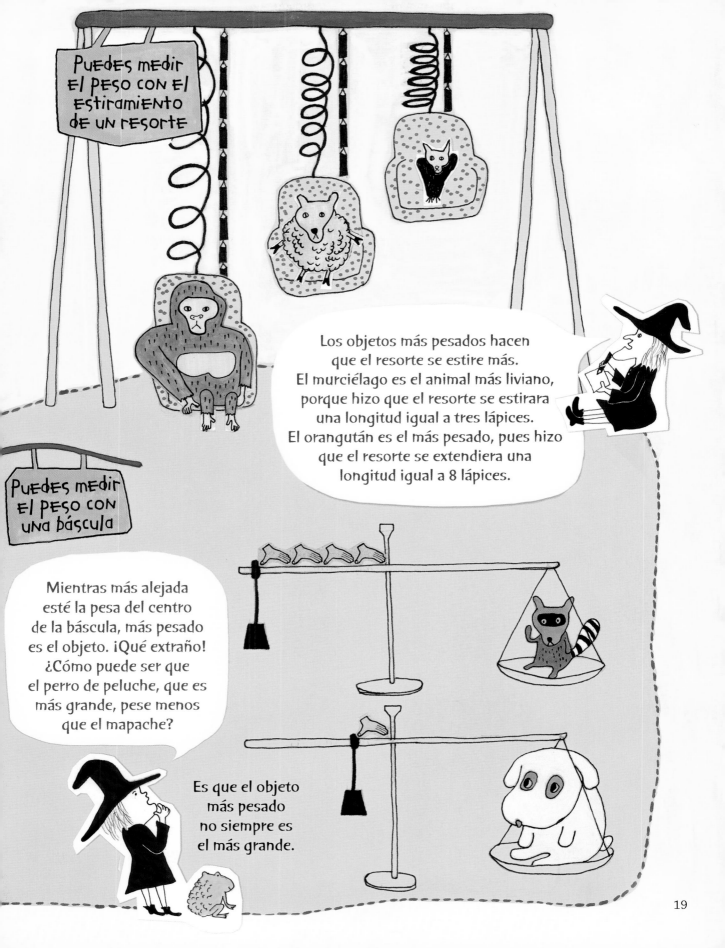

Puedes medir el peso con el estiramiento de un resorte

Los objetos más pesados hacen que el resorte se estire más. El murciélago es el animal más liviano, porque hizo que el resorte se estirara una longitud igual a tres lápices. El orangután es el más pesado, pues hizo que el resorte se extendiera una longitud igual a 8 lápices.

Puedes medir el peso con una báscula

Mientras más alejada esté la pesa del centro de la báscula, más pesado es el objeto. ¡Qué extraño! ¿Cómo puede ser que el perro de peluche, que es más grande, pese menos que el mapache?

Es que el objeto más pesado no siempre es el más grande.

Cómo medir lo invisible

Hay cosas, como la intensidad de los sonidos o el tiempo, que pueden medirse aunque sean invisibles. Para medirlos también se necesitan unidades de medida.

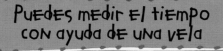

PUEDES MEDIR EL TIEMPO CON AYUDA DE UNA VELA

Para que un pollo quede bien cocido, hay que hervirlo el tiempo que tarda una vela en consumirse hasta bajar 2 marcas.

PUEDES MEDIR EL TIEMPO CONTANDO LAS NOCHES

Desde el día en que llegué a esta escuela, he dormido 6 noches. Por lo tanto, sé que han pasado 6 días y que hoy es el séptimo.

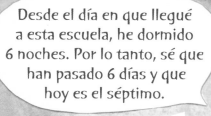

Puedes medir la edad de un árbol si cuentas los anillos en su tronco

El tronco pequeño tiene 5 anillos y el grande tiene 8. El árbol grande vivió 3 años más.

Puedes medir la distancia a la que está un gato por la intensidad de su maullido

El maullido de este gato indica que está a 18 pasos.

Miauuuuu

¡Si sigues midiendo así, terminarás expulsada!

Unidades de medida

Si todas las personas miden un objeto con la misma unidad, el resultado siempre será el mismo.

Debido a esto, se ha elegido una unidad de medida para cada tipo de medición: hay una para la longitud, una para el volumen, una para el peso, una para el tiempo, etcétera.

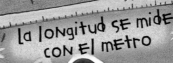

La longitud se mide con el metro

Al medir la altura de la planta medicinal con mi mano, encuentro que es de 6 cuartas, y la bruja pelirroja dirá que mide 7 cuartas porque su mano es más pequeña. Pero si la mides con una regla, ¡verás que siempre mide un metro!

Si mido la poción que hay en la cubeta, veo que contiene 8 de mis vasos, mientras que la bruja de pelo azul encuentra que hay 10 de los suyos. ¡Pero si lo medimos con un vaso de 1 litro, el volumen de la cubeta será siempre de 2 litros!

El volumen se mide con el litro

Cómo medir lo diminuto y lo enorme

El metro y el kilogramo no sirven para medir objetos minúsculos. Para eso se necesitan unidades de medida más pequeñas.

Para medir cosas muy grandes, es mejor utilizar unidades de medida mayores que el metro y el kilogramo.

unidades de medida para cosas muy PEQUEÑAS

El tamaño de una hormiga se mide con el centímetro, una unidad 100 veces más pequeña que el metro.

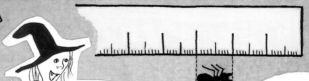

El tamaño de un grano de arena se mide con el milímetro, una unidad 10 veces más pequeña que el centímetro.

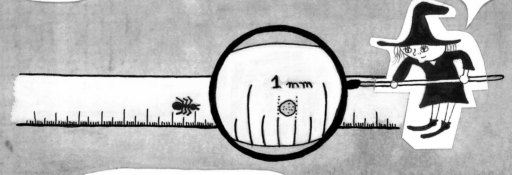

El ratoncito es tan ligero que se pesa con el gramo, una unidad mucho más pequeña que el kilogramo. 1000 gramos juntos pesan un kilogramo.

Instrumentos de medición

Los instrumentos de medición son herramientas que nos ayudan a medir. Casi siempre tienen marcas que indican distintas medidas.

Si utilizas un instrumento que tiene las medidas señaladas, puedes medir con más facilidad.

Hay muchos instrumentos de medición.

Medir el volumen de cada ingrediente de la poción mágica es más fácil con una taza graduada.

¡Miren! ¡El núm[...] que indica la ag[...] de la báscula es mi peso!

Para medir la longitud de algo curvo, como mi cintura, se usa la cinta métrica.

La longitud de una mesa puede medirse con una regla graduada. Se dice que está graduada porque tiene marcas separadas entre sí a una distancia fija. Esta regla está graduada en milímetros y en centímetros, pues tiene marcas en cada una de estas medidas.

Cómo estimar medidas cuando no hay instrumentos de medición

Cuando no cuentas con el instrumento de medición adecuado o te resulta difícil medir algo directamente, puedes, con ingenio, estimar la medida que necesitas.

Estimar con los ojos

Como no tengo una regla, puedo calcular la longitud aproximada de cuerda que necesito para atar las rocas. Sólo debo observar el contorno de las rocas, y estimar qué tanta cuerda necesito para rodearlas.

Estimar con las manos

Aunque no tengo una balanza, puedo estimar el peso del libro azul y el del amarillo. Si sostengo uno en una mano y en la otra cargo un kilogramo, me doy cuenta de que el libro amarillo pesa menos que un kilogramo y de que el libro azul pesa más.

Estimar con un cálculo

8 recipientes llenos de semillas llenan una bolsa. Como en un recipiente caben 30 semillas y todas son aproximadamente del mismo tamaño, en la bolsa debe de haber aproximadamente 8 veces 30, es decir, 240 semillas.

Estimar a partir de una maqueta

¿Podría estimar el peso aproximado del dinosaurio a partir de una maqueta de su esqueleto? ¿Cómo lo hago?

Si sabes cuántas veces es más grande el dinosaurio en comparación con la maqueta, puedes estimar el peso del dinosaurio a partir del peso de la maqueta.

29

Si mides bien, puedes hacer bien muchas cosas

¡Hay muchas cosas que puedes hacer bien si saber medir!

Puedes cocinar bien y coser ropa cómoda. Y, por supuesto, ¡puedes llegar a ser una verdadera bruja!

Puedes preparar guisos riquísimos

Si mides bien la cantidad exacta de cada ingrediente y el tiempo de preparación, puedes hacer cualquier receta.

Puedes diseñar prendas que te queden a la perfección

Si tomas bien tus medidas y las de la tel puedes confeccionar ro que te ajuste como tú quieras.

Si mides bien la superficie del suelo y la altura de las columnas, puedes construir una casa que no se caiga.

PUEDES CONSTRUIR UN EDIFICIO MUY RESISTENTE

PUEDES CURAR ENFERMEDADES

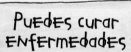

Para usar correctamente una medicina, necesitas medir muy bien su volumen y su peso. Oye, sapito, ¿qué te duele? Te voy a poner una inyección.

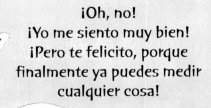

¡Oh, no! ¡Yo me siento muy bien! ¡Pero te felicito, porque finalmente ya puedes medir cualquier cosa!

31

Para saber más

¿Cómo se escogen las unidades de medida?

Se le llama unidad de medida a una cierta magnitud física que se escoge arbitrariamente y con la cual se compara cualquier otra magnitud del mismo tipo. Existen muchas unidades de medida, pero ¿cómo se definió cada una de ellas?

El metro se definió a partir de las dimensiones de nuestro planeta

El metro es la unidad de longitud. Fue definido en 1791 por algunos científicos franceses como la diezmillonésima parte de la distancia que separa los polos de la línea del Ecuador terrestre. Estos investigadores buscaban proponer una unidad de longitud fija que pudiera utilizarse en cualquier parte del mundo. Tal como lo pensaron, el metro se utiliza hoy día en la mayoría de los países. Pero esta unidad fue redefinida en el siglo XX como la longitud que la luz recorre en el vacío durante un tiempo determinado.

El pie de Enrique I

Muchas civilizaciones antiguas utilizaban el pie humano para medir distancias, pero el inconveniente de este sistema era que la longitud del pie cambia de persona a persona. El rey Enrique I de Inglaterra ordenó que la longitud de su pie fuera el valor permanente de un pie, con lo que esta unidad quedó definida. Un pie equivale aproximadamente a 30 centímetros. Aún en nuestros días, esta medida se utiliza en Inglaterra y en los Estados Unidos con mayor frecuencia que el metro.

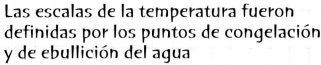

Las escalas de la temperatura fueron definidas por los puntos de congelación y de ebullición del agua

El físico alemán Fahrenheit inventó un termómetro. Para fijar la unidad que midiera la temperatura, definió que el agua se congela a los 32 grados y hierve a los 212 grados. Después, llamó grado a cada una de las 180 marcas iguales que había entre los puntos de congelación y de ebullición.

Más adelante, el físico sueco Celsius siguió el mismo procedimiento, pero asignó el 0 al punto de congelación y 100 al de ebullición, y dividió la distancia entre ellos en 100 grados, en vez de 180. Actualmente, la mayoría de los países utilizan la escala de Celsius.

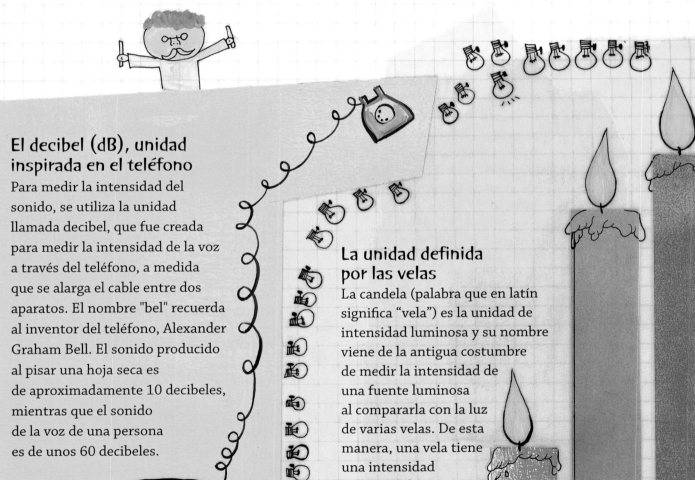

El decibel (dB), unidad inspirada en el teléfono

Para medir la intensidad del sonido, se utiliza la unidad llamada decibel, que fue creada para medir la intensidad de la voz a través del teléfono, a medida que se alarga el cable entre dos aparatos. El nombre "bel" recuerda al inventor del teléfono, Alexander Graham Bell. El sonido producido al pisar una hoja seca es de aproximadamente 10 decibeles, mientras que el sonido de la voz de una persona es de unos 60 decibeles.

La unidad definida por las velas

La candela (palabra que en latín significa "vela") es la unidad de intensidad luminosa y su nombre viene de la antigua costumbre de medir la intensidad de una fuente luminosa al compararla con la luz de varias velas. De esta manera, una vela tiene una intensidad de 1 candela, mientras que un foco de 100 vatios equivale a 120 candelas.

¡Diviértete midiendo!

Para medir algo no siempre hay que usar instrumentos de medición. En ocasiones, si utilizas tu creatividad, puedes medir fácilmente y con exactitud.

¿Crees que podrías calcular la altura de los bloques sobrepuestos sin usar una regla o cinta métrica? Cada bloque mide 5 centímetros de ancho.

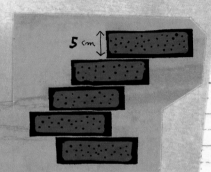

5 cm

¿Durante cuánto tiempo tocan la campana?

A las 5 de la tarde tocan la campana 5 veces durante 20 segundos. Los intervalos entre cada dos toques tienen la misma duración.

¿Durante cuántos segundos se tocará la campana a las 10 de la noche?

¿Podrías medir 5 litros sin tener un recipiente de 5 litros?

¿De qué manera podrías medir 5 litros de agua con un recipiente de 4 litros y uno de 6?

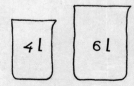

4 l   6 l

¡! ¿Crees que porque 10 es el doble de 5 entonces 10 campanadas duran 40 segundos? ¡Pues no!

Cuando tocan la campana 5 veces, hay 4 intervalos de silencio entre cada campanada. Éstos duran 20 segundos en total, es decir, 5 segundos cada uno.

Así que, si tocan la campana 10 veces, hay 9 intervalos de silencio, cada uno de 5 segundos, por lo que pasarán 45 segundos en total.

¡! Si llenas ambos recipientes y luego los vacías a la mitad, en el recipiente pequeño quedarán 2 litros y en el grande, 3. Si viertes el contenido del pequeño en el grande, en éste habrá exactamente 5 litros.

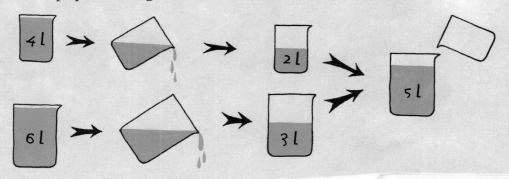

¡! Hay 5 bloques, cada uno de 5 centímetros de ancho. Entre todos miden 25 centímetros. ¡Se puede saber sin tener que medirlos!

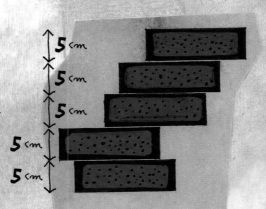

Mientras más se mide, más se sabe

Imagina cómo sería tu vida si no pudieras medir. Sería difícil comprar las porciones de verduras o de carne que necesitas. Para encontrar unos zapatos que te quedaran bien, tendrías que probarte varios pares. Y sería difícil citarte con tus amigos a una hora exacta.

Como puedes ver, las personas vivimos haciendo mediciones constantemente.

Medir permite descubrir cosas nuevas. Aunque nadie ha ido hasta el Sol, conocemos de qué tamaño es, y también sabemos desde cuándo viven las bacterias en la Tierra.

Tenemos esta información porque los científicos han medido el Sol y la edad de los fósiles de bacterias más antiguos. Para hacerlo, inventaron métodos nuevos y crearon unidades.

Hay innumerables instrumentos para medir y muchas unidades de medida.

Y a ti, ¿qué te gustaría medir? ¿Y qué crees que averiguarías?